OÙ EST LE CHAT ?

Un livre Dorling Kindersley

Pour Annabel

Édition originale : *Spot a Cat*
Dorling Kindersley Limited
9, Henrietta Street, Londres, WC2E 8PS, Grande-Bretagne
© 1995 Dorling Kindersley Limited, Londres
Texte : © 1995 Lucy Micklethwait

Pour l'édition française
© 1996, Bayard Éditions
© 2001, Bayard Éditions Jeunesse
3, rue Bayard – 75008 Paris
Deuxième édition

Traduction française :
Paragraphe
22, rue de Monttessuy – 75007 Paris

Loi 49-956 du 16 juillet 1949
sur les publications destinées à la jeunesse
ISBN : 2 2277 0473-X
Imprimé en Italie

Où est le chat ?

Œuvres choisies par Lucy Micklethwait

BAYARD JEUNESSE

Oh ! regarde
le gros chat !

Auguste Renoir, *Jeune fille au chat*

Petit chat, où es-tu ?

Paul Gauguin, *Au café*

Regarde le chat :
il a peur !

Lorenzo Lotto, *L'Annonciation*

Où se cache
le chat ?

Paul Klee, *Le jardin zoologique*

Voilà un chat heureux !

Utagawa Kuniyoshi, *Pluie et tonnerre la nuit*

Ce chat
est
très inquiet.

Samuel van Hoogstraten, *Corridor en perspective*

Ce chat
est fou !

Karel Appel, *Chat*

Où est donc le chat ?

Patrick Heron, *Veille de Noël : 1951*

Regarde
le beau chat
tout blanc.

David Hockney, *M. et Mme Clark et Percy*

Où est
le chat noir ?

Fernand Léger, *Le grand déjeuner*

Trouve
un chat roux.

Mir Kalan Khan, *Princesse regardant une servante tuer un serpent*

Où est
le chat gris ?

Jan Bruegel, dit Bruegel de Velours, *L'adoration des Mages*

On dirait une danse
avec un chat étrange
et une chauve-souris légère, légère...
Cherche aussi un visage
et un pied avec cinq doigts
et une drôle de grenouille...
Et que trouveras-tu encore
si tu continues à regarder ?

Juan Miró, *Intérieur hollandais I*

Liste des œuvres d'art

Oh ! regarde le gros chat !
Auguste Renoir (1841-1919),
artiste français
Jeune fille au chat
1876, huile sur toile, 55 x 46 cm
National Gallery of Art, Washington
Don de M. et Mme Benjamin E. Levy

Petit chat, où es-tu ?
Paul Gauguin (1848-1903), artiste français
Au café
1888, huile sur toile, 72 x 92 cm
Musée Pouchkine, Moscou

Regarde le chat : il a peur !
Lorenzo Lotto (v. 1480-1556),
artiste italien
L'Annonciation
1527, huile sur toile, 166 x 114 cm
Pinacoteca Civica, Recanati

Où se cache le chat ?
Paul Klee (1879-1940), artiste suisse
Le jardin zoologique
1918, aquarelle, 17,1 x 23,1 cm
Kunstmuseum, Berne

Voilà un chat heureux !
Utagawa Kuniyoshi (1797-1861),
artiste japonais
Pluie et tonnerre la nuit
Série Beautés et épisodes d'Ōtsu-e
Début des années 1850, bois gravé en éventail
21 x 29 cm (format de l'image)
Victoria and Albert Museum, Londres

Ce chat est très inquiet.
Samuel van Hoogstraten (1627-1678),
artiste hollandais
Corridor en perspective
1662, huile sur toile, 260 x 136 cm
Dyrham Park, Avon

Ce chat est fou !
Karel Appel (né en 1921), artiste hollandais
Chat
1971, huile et papier mâché sur toile,
89 x 116 cm
Collection privée

Où est donc le chat ?
Patrick Heron (né en 1920),
artiste britannique
Veille de Noël : 1951
Huile sur toile, 182,8 x 304,8 cm
Collection privée

Regarde le beau chat tout blanc.
David Hockney (né en 1937),
artiste britannique
M. et Mme Clark et Percy
1970-1971, acrylic sur toile,
213,4 x 304,8 cm
Tate Gallery, Londres

Où est le chat noir ?
Fernand Léger (1881-1955),
artiste français
Le grand déjeuner
1921, huile sur toile, 183,5 x 251,5 cm
Museum of Modern Art, New York
Mrs. Simon Guggenheim Fund

Trouve un chat roux.
Mir Kalan Khan, artiste indien
*Princesse regardant une servante tuer
un serpent*
V. 1770, gouache sur papier, 21,3 x 16,8 cm
British Library, Londres

Où est le chat gris ?
Jan Bruegel, dit Bruegel de Velours
(1568-1625), artiste flamand
L'adoration des Mages
1598, détrempe sur papier, 32,9 x 47,9 cm
National Gallery, Londres

On dirait une danse...
Juan Miró (1893-1983), artiste espagnol
Intérieur hollandais I
1928, huile sur toile, 91,8 x 73 cm
Museum of Modern Art, New York
Mrs. Simon Guggenheim Fund

Couverture
Auguste Renoir
Jeune fille au chat (détail)
Dos
Samuel van Hoogstraten
Corridor en perspective (détail)
Page de faux-titre
Paul Klee
Le jardin zoologique (détail)

Page de copyright
Utagawa Kuniyoshi
Pluie et tonnerre la nuit (détail)
Page de titre
David Hockney
M. et Mme Clark et Percy
Page de la liste des œuvres d'art
Lorenzo Lotto, *L'Annonciation* (détail)
Juan Miró, *Intérieur hollandais I* (détail)

Remerciements

L'éditeur remercie les personnes
et les institutions suivantes qui ont autorisé
la reproduction des œuvres dans cet ouvrage :

Au café, Bridgeman Art Library / Musée Pouchkine, Moscou
Princesse regardant une servante tuer un serpent, The British Library / Oriental and India Office Collections
Chat : Christies Images
Veille de Noël : 1951, © 1995 Patrick Heron. Tous droits réservés. DACS
Le jardin zoologique, Kunstmuseum, Berne, © DACS 1995
Le grand déjeuner, © 1995 The Museum of Modern Art, New York, © DACS 1995

Intérieur hollandais I, © 1995 The Museum of Modern Art, New York, © ADAGP Paris et DACS Londres 1995
Jeune fille au chat, © 1994 Board of Trustees, National Gallery of Art, Washington
L'Adoration des Mages, The National Gallery, Londres
Corridor en perspective, The National Trust / Derrick E. Witty
L'Annonciation, SCALA / Recanati, Museo Civica
M. et Mme Clark et Percy, Tate Gallery, Londres © Tradhart Ltd
Pluie et tonnerre la nuit, Victoria and Albert Museum, Londres